Mon rayon de soleil

Données de catalogage
avant publication (Canada)

Hébert, Marie-Francine
Mon rayon de soleil
Pour enfants.

ISBN 2-89512-276-8 (br.)
ISBN 2-89512-277-6 (rel.)

I. Adams, Steve. II. Titre.

PS8565.E2M63 2002 jC843'.54 C2002-940059-7
PS9565.E2M63 2002
PZ23.H42Mo 2002

Éditrice : Dominique Payette
Directrice de collection : Lucie Papineau
Direction artistique et graphisme : Primeau & Barey

Dépôt légal : 3e trimestre 2002
Bibliothèque nationale du Québec
Bibliothèque nationale du Canada

Dominique et compagnie
300, rue Arran, Saint-Lambert (Québec)
Canada J4R 1K5
Téléphone : (514) 875-0327
Télécopieur : (450) 672-5448
Courriel : dominiqueetcie@editionsheritage.com

Imprimé en Chine
10 9 8 7 6 5 4 3 2 1

Nous remercions le Conseil des Arts du Canada de l'aide
accordée à notre programme de publication, ainsi que la SODEC
et le ministère du Patrimoine canadien.

Gouvernement du Québec – Programme de crédit d'impôt
pour l'édition de livres – Gestion SODEC.

À Elisabeth et Nathalie, mes rayons de soleil... S.A.

Marie-Francine Hébert   Steve Adams

Mon rayon de soleil

Vois-tu la maison, là-bas dans la vallée? Non, non, pas la jaune,
la blanche un peu plus loin. Là habite le petit Luca.

Tu peux l'apercevoir si tu t'approches de la fenêtre de sa chambre,
située tout en haut. Mais doucement, car il
dort encore. Il s'est couché très, très tard hier soir.

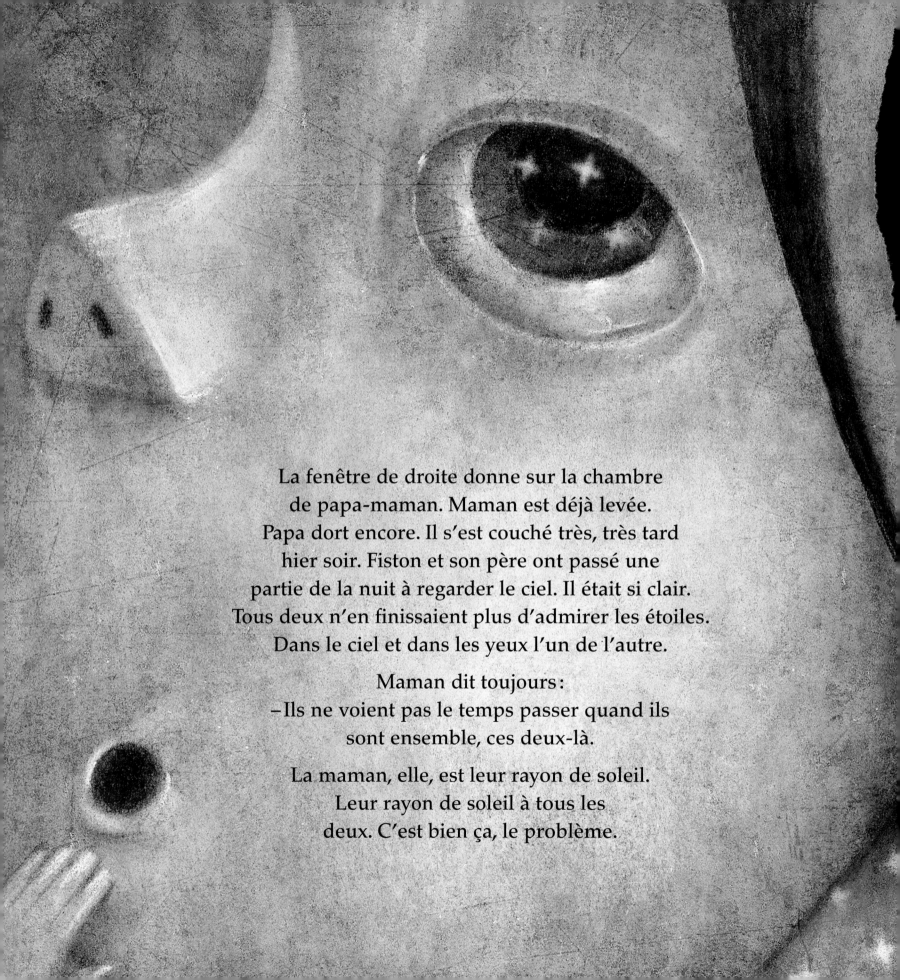

La fenêtre de droite donne sur la chambre
de papa-maman. Maman est déjà levée.
Papa dort encore. Il s'est couché très, très tard
hier soir. Fiston et son père ont passé une
partie de la nuit à regarder le ciel. Il était si clair.
Tous deux n'en finissaient plus d'admirer les étoiles.
Dans le ciel et dans les yeux l'un de l'autre.

Maman dit toujours :
– Ils ne voient pas le temps passer quand ils
sont ensemble, ces deux-là.

La maman, elle, est leur rayon de soleil.
Leur rayon de soleil à tous les
deux. C'est bien ça, le problème.

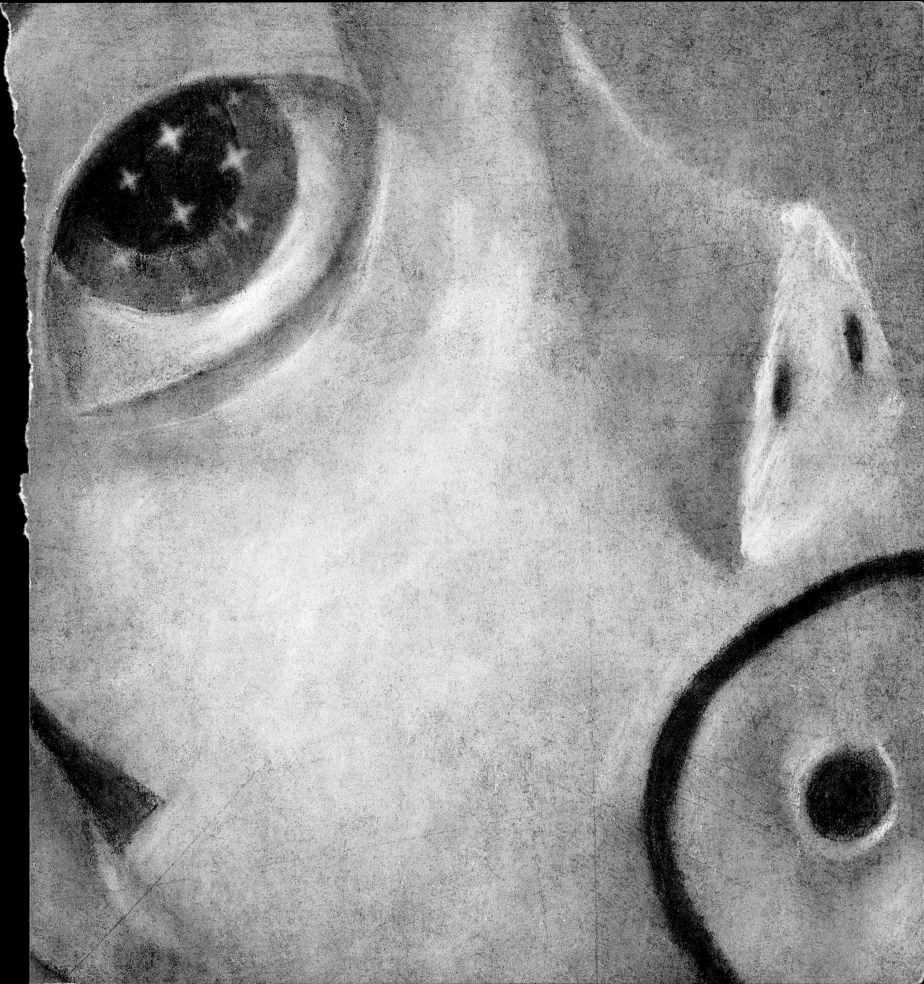

En ce moment, maman rayonne tranquillement dans son jardin. Elle glisse d'une plante à l'autre, d'une fleur à l'autre. Caresse celle-ci pour la rassurer. Admire celle-là qui s'épanouit. Redresse un plant de tomates qui commence à courber le dos. « Ah ! les framboises sont mûres, c'est Luca qui va se régaler ! »

En parlant de Luca... Retournons à sa chambre où il vient tout juste de se réveiller. Il ouvre un œil, puis l'autre : aucun nuage à l'horizon. Le temps est au beau dans le cœur du petit garçon.

Luca songe à cette
belle journée qui s'annonce.
À quoi l'occupera-t-il? À rire
de toutes les grandeurs,
à chanter lala leur, à compter
les coccinelles et tout ce qui
lui vole par la tête, à parler du
loup, à rêver aux anges et,
surtout, à faire plein de choses
pour la première fois.

Ne pas oublier de demander
à maman ce qu'est un arc-
en-ciel; tous les amis semblent
en avoir déjà vu un, sauf
lui. Maman connaît tout du ciel.
À part les étoiles, bien sûr.
Les étoiles, c'est le rayon
de papa.

Maman ! Luca l'aperçoit tout en bas dans son jardin.
Il pense à ses yeux qui s'illumineront quand
elle verra arriver son petit garçon. Et ses dents
resplendiront. Et sa voix d'ange l'enveloppera :
« Te voilà enfin, mon poussin ! » dira-t-elle.

Ah ! se blottir dans les bras tout chauds de maman.
La tête appuyée contre son cœur. Son cœur
qui ne battra plus que pour lui. Lala leur...

Oh ! Oh ! Des pas dans l'escalier ;
papa est debout. Catastrophe !

Vite ! Vite ! Luca enfile ses pantoufles préférées.
Non, non, pas les éléphants, celles avec un
oiseau sur le dessus. Vite ! vite ! les oiseaux dévalent
l'escalier, volent jusqu'à la cuisine. Papa !

Papa est au beau milieu de la pièce, en panne.
Les pieds dans de grosses tortues, il frotte ses yeux
ensommeillés. « C'est ma chance », se dit Luca.
Et il le devance. Ni vu ni connu.

Vite! Vite! les oiseaux s'élancent hors de la maison. Mais aussitôt dans le jardin, ils trébuchent sur le tuyau d'arrosage. Papa l'a laissé traîner exprès, Luca en est certain. Et il s'abat de tout son long sur le gazon. Les oiseaux se retrouvent le bec à l'eau, comme si le ciel venait de leur tomber sur la tête.

Luca cherche à appeler maman du regard: «Regarde-moi, regarde-moi!» Trop tard, les yeux de maman ne brillent plus que pour l'autre qui sort de la maison. Et ses dents resplendissent. Et sa voix d'ange l'enveloppe:
– Tu as bien dormi, mon loup chéri?

Une ombre géante vient de s'abattre sur le cœur du petit Luca. C'est ce qu'on pourrait appeler une éclipse du soleil.

Luca voudrait dire à papa: «Ôte-toi de mon soleil!»
Mais personne ne l'entendrait. Papa et maman sont déjà sur une autre planète. Bientôt leurs bouches se colleront.
Et il n'y aura pas moyen de les décoller.

Voilà Luca qui s'enfuit, loin loin loin, le plus loin
possible. Là où papa et maman ne le retrouveront plus.
« Ce sera bien fait pour eux », pense-t-il.

Le garçon court. Jusqu'au bout de son souffle, il court.
Jusqu'au bout du jardin. Comme il n'a pas la permission d'en
sortir, il s'accroupit derrière le bosquet tout contre
la clôture. Puis le vent se lève et de gros nuages couvrent
le cœur du petit Luca.
La pluie se met à tomber de ses yeux. Froide, froide.

Soudain, qu'aperçoit-il à travers ses larmes ?
Deux énormes coccinelles. Rouges.
– Tu pleures ? demande une petite fille tout là-haut.
– Non ! répond Luca en essuyant ses joues.
– Ah bon...
Chaussée de ses coccinelles,
elle se balance d'une jambe sur l'autre.
– C'est ta maison là-bas ?

Luca n'y remettra jamais les pieds !
Alors, il hausse les épaules.

La petite fille reste là à tortiller le bord de
sa jupe couleur de jus d'orange.
– Moi, j'habite la maison jaune, là-bas.
Silence.

La petite fille croise les bras sur son t-shirt vert pomme.
Que faire? Soudain, la voilà pieds nus, les coccinelles
aux mains, prête à donner un spectacle.
– Taratata! Il était une fois deux coccinelles
jumelles ayant perdu leurs ailes. «Où sont-elles?
se demandent-elles. Dans la poubelle?»

De surprise, Luca lève la tête. Ses yeux brouillés
de larmes se posent sur un désordre de cheveux jaune
lumière encadrant des yeux bleu ciel qui attendent
et une bouche rose tulipe qui dit :
– Tu veux jouer ?

Il se passe une drôle de chose dans le cœur de Luca.
C'est comme si le soleil venait de s'y lever.
Des rayons filtrent à travers ses yeux encore mouillés.
Chauds, chauds les rayons. Alors, le visage de
la petite fille s'épanouit et un sourire se dessine
sur ses lèvres, multicolore.

– Luca... Luca...
C'est maman qui s'inquiète.

– Luca, où es-tu passé?
C'est papa qui le cherche dans la maison.

Le visage soucieux de maman apparaît
finalement au-dessus du bosquet. Il s'éclaire
dès qu'elle aperçoit son petit garçon.

–Tu ne viens pas m'embrasser, ce matin?
demande-t-elle.
–Tout à l'heure, répond Luca.
–J'ai cueilli des framboises, ajoute-t-elle.
–Hum... fait le garçon.
–Je les laisse juste à côté, mon trésor, si tu veux
en offrir à ta nouvelle amie.

Mais Luca n'a d'yeux que pour sa
nouvelle amie.

–Maman... C'est quoi, un arc-en-ciel?
demande-t-il juste avant qu'elle s'éloigne.
–Quand il fait soleil et qu'il pleut en même temps,
un grand sourire apparaît dans le ciel.
Un sourire multicolore, répond maman.

«C'est bien ce que je croyais, se dit Luca. Mon
premier arc-en-ciel!» Puis il s'empresse d'offrir
des framboises à sa nouvelle amie.
Et des éclats de rire de toutes les grandeurs.

Il y a des moments dans la vie d'un
petit garçon où rien ne vaut un
arc-en-ciel dans le jardin de sa maman.